À tous les membres de la famille

L'apprentissage de la lecture est l'une des réalisations les plus importantes de la petite enfance. La collection *Je peux lire!* est conçue pour aider les enfants à devenir des lecteurs experts qui aiment lire. Les jeunes lecteurs apprennent à lire en se souvenant de mots utilisés fréquemment comme « le », « est » et « et », en utilisant les techniques phoniques pour décoder de nouveaux mots et en interprétant les indices des illustrations et du texte. Ces livres offrent des histoires que les enfants aiment et la structure dont ils ont besoin pour lire couramment et sans aide. Voici des suggestions pour aider votre enfant avant, pendant et après la lecture.

Avant

Examinez la couverture et les illustrations, et demandez à votre enfant de prédire de quoi on parle dans le livre.

Lisez l'histoire à votre enfant.

Encouragez votre enfant à dire avec vous les formulations et les mots qui lui sont familiers.

Lisez une ligne et demandez à votre enfant de la relire après vous.

Pendant

Demandez à votre enfant de penser à un mot qu'il ne reconnaît pas tout de suite. Donnez-lui des indices comme : « On va voir si on connaît les sons » et « Est-ce qu'on a déjà lu un mot comme celui-là? ».

Encouragez l'enfant à utiliser ses compétences phoniques pour prononcer d'autres mots.

Lorsque l'enfant a besoin d'aide, lisez-lui le mot qui pose un problème, pour qu'il n'ait pas trop de mal à lire et que l'expérience de la lecture avec les parents soit positive.

Encouragez votre enfant à lire avec expression... comme un comédien!

Après

Proposez à votre enfant de dresser une liste de mots qu'il préfère.

Encouragez votre enfant à relire ses livres. Il peut les lire à ses frères et sœurs, à ses grands-parents et même à ses toutous. Les lectures répétées donnent confiance au jeune lecteur.

Parlez des histoires que vous avez lues. Posez des questions et répondez à celles de votre enfant. Partagez vos idées au sujet des personnages et des événements les plus amusants et les plus intéressants.

J'espère que vous et votre enfant allez aimer ce livre.

Francie Alexander,
spécialiste en lecture
Groupe des publications
éducat

D0227149

Pour tous les enfants qui, en 1998-1999,
étaient dans la classe 2-325 de Mme Delia
et dans la classe 3-321B de Mme Vega,
à l'école primaire 291, dans le Bronx (New York)
— T.S.

Pour Leigh
— M.S.

Catalogage avant publication de la Bibliothèque nationale du Canada
Slater, Teddy
  Connais-tu les cinq sens? / Teddy Slater ; illustrations de Maggie
  Swanson ; texte français de Lucie Duchesne.

  (Je peux lire!. Niveau 1. Sciences)
  Traduction de: Busy bunnies' five senses.
  Pour enfants de 3 à 6 ans.
  ISBN 0-439-97544-1

  1. Sens et sensations--Ouvrages pour la jeunesse. I. Swanson, Maggie
  II. Titre. III. Collection.

QP434.S5814 2003   j612.8   C2002-904839-7

Édition publiée par Les éditions Scholastic, 175 Hillmount Road,
Markham (Ontario) L6C 1Z7.

5 4 3 2 1   Imprimé au Canada   03 04 05 06

Connais-tu les cinq sens?

Texte de Teddy Slater
Illustrations de Maggie Swanson
Texte français de Lucie Duchesne

Je peux lire! — Sciences — Niveau 1

Les éditions Scholastic

Je goûte avec ma langue.

Elle sent avec son nez.

Nous touchons avec notre peau,
des doigts jusqu'aux orteils.

Il a deux oreilles pour entendre...

et deux yeux pour voir.

U

NECA

ROTTEP

ARJOURP

OURDEB

ONSYEUX

MANGES-ENB
EAUCOUP

Nous nous servons tous
de nos sens. Toi aussi.

LE SENS DU GOÛT

Les aliments peuvent avoir
un goût salé,

amer

ou acide.

Mais les meilleures gâteries
ont un goût sucré!

LE SENS DE L'ODORAT

Juste à l'odeur, on sait
qu'une rose est éclose.

Ton nez devine si quelque
chose sent mauvais dans
ta chambre.

Et s'il y a quelque
chose que ton nez
reconnaît…

c'est bien l'odeur d'une mouffette.

LE SENS DU TOUCHER

Touche quelque chose de lisse.

Touche quelque chose de rugueux.

Touche des objets durs.

Touche des objets doux.

Ah, non! Ça suffit!

LE SENS DE L'OUÏE

Frappe dans
tes mains.
Tape du pied.

Écoute le rythme du défilé.

Écoute un chuchotement.

Écoute un cri.

Écoute les sons.

Boum! Bing!
Les lapins s'en donnent
à cœur joie.

LE SENS DE LA VUE

Ouvre les yeux.
Qu'est-ce que tu vois?

Une belle carotte orange,

un arbre tout vert,

un minuscule grain de sable

et l'immense ciel étoilé.

Le monde est rempli
de merveilles.

Ouvre les yeux!